TEXTE : GILBERT DELA
IMAGES : MARCEL MA

martine
a perdu son chien

casterman

Martine habite la Résidence des Sapins.
Devant la Résidence, il y a un parc à voitures,
des bancs, de la verdure. C'est là que les
enfants se retrouvent. Ils roulent à vélo sur le
macadam, ils font du patin à roulettes ou
jouent à la marelle.
Martine et Jean occupent le troisième étage de
l'immeuble, Christophe le quatrième.
Dans le hall, ils rencontrent le facteur. Il distribue
le courrier dans les boîtes aux lettres.
— Allons nous amuser dehors, propose Christophe.
— On jouera aux Indiens.
— Oui, mais je dois prévenir Maman... Je n'arrive pas à la hauteur du
parlophone. Tu veux bien m'aider?

Maman est d'accord. Martine peut emmener Patapouf, à condition de le tenir en laisse.
— Je suis Bison l'Intrépide.
— Moi, Œil-de-Lynx, ajoute Martine.

— Christophe, tu seras le cow-boy plus rapide que l'éclair!

Tout le monde est très excité! Qu'entend-on tout à coup?

Ce sont les chats du voisinage qui se bagarrent. Patapouf ne supporte pas de les entendre. N'écoutant que son instinct, il se lance à leurs trousses.

— Ici, Patapouf... Ici, crie Martine.

Enfants, chiens, chats, tout le monde se poursuit. Les chats, effrayés, font des bonds immenses.

— Reviens tout de suite, Patapouf!

Mais Patapouf fait la sourde oreille... et la course continue. Après avoir traversé un terrain vague, le petit groupe arrive sur un chantier. Des ouvriers y construisent un immeuble.

— Attention, les enfants! Ne restez pas ici. C'est dangereux.

Sur le chantier, une pelleteuse, un camion. Les terrassiers sont au travail... Le temps d'éviter un bulldozer et psitt... plus de chats, plus de Patapouf!

Pauvre Patapouf! Il va sûrement s'égarer.

Un ouvrier emploie un marteau pneumatique. Quel vacarme! Il arrête sa machine.

— Avez-vous vu où est allé mon petit chien?

L'homme se retourne, lève le bras:

— Il est parti de ce côté-là avec les deux petits chats.

... Et de ce côté-là, c'est la ville.
C'est-à-dire : les avenues, les boulevards,
les piétons, les autos, les bus, les carrefours,
les signaux.

Comment retrouver Patapouf dans cette cohue ? Mieux vaudrait chercher une aiguille dans une botte de foin. Mais on ne peut pas l'abandonner. Le signal est rouge. Il ne faut pas traverser la chaussée.

Le bonhomme vert s'allume. Les piétons peuvent passer.
Martine, Jean et Christophe franchissent le carrefour dans le passage protégé.
Justement, il y a eu un accident.

— Je vais demander à cet agent si Patapouf...?
— Mais non, tu vois qu'il est occupé.
— Ne perdons pas notre temps.
— Pourvu que Patapouf ne se soit pas fait écraser!

Allons voir place du Marché. Je suis certain qu'il est là, dit Jean.
Sur la place, les marchands de volaille ont installé leurs cageots remplis
d'oies, de canards, de poules et de poussins. On y trouve aussi d'autres
animaux : des chèvres, des chiens, des chats...

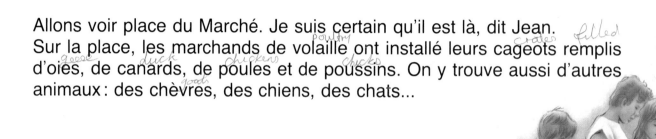

— Vous voulez acheter un petit chat ? demande une fillette
assise sur une caisse.
— Non, répond Martine. Nous avons perdu notre chien.
Il s'appelle Patapouf.
— Nous ne l'avons pas aperçu par ici, répond un marchand.
Renseignez-vous plus loin.

Une idée sombre traverse l'esprit de Martine :

— Et si on avait volé Patapouf ? dit-elle.

— On ne vole pas un chien comme ça. C'est ridicule.

Jean hausse les épaules. Martine pourtant n'est pas rassurée.

Arrive un garçon qui a tout entendu :

— Vous cherchez un petit chien ? Moi je l'ai vu dans la rue des trois Baudets.

— C'est où la rue des trois Baudets ?

— C'est par là, à gauche, et puis la deuxième rue à droite. Dépêchez-vous si vous voulez le rattraper.

Un rien suffirait pour que Martine et Patapouf se rencontrent. Hélas! le hasard en a décidé autrement. En courant, Patapouf s'est éloigné davantage. Il file droit devant lui sans savoir où il va. Toutes les chances de le retrouver se sont envolées d'un coup. Dans ce quartier, Patapouf ne connaît personne. Des enfants aimeraient bien jouer avec lui mais Patapouf n'en a pas envie, il voudrait rentrer à la maison.

Un monsieur à l'air aimable lui dit:
— Où cours-tu comme ça, mon ami?
Manifestement, Patapouf ne le sait pas lui-même.

Serait-il au marché aux puces ?...
— On devrait le poursuivre en calèche. Ce serait moins fatigant, dit Christophe.
— Tu n'y penses pas ! Ça coûte trop cher.

Patapouf est peut-être descendu dans le métro.

— Qu'aurait-il été y faire?

— Qui sait? Allons voir quand même.

Dans la station de métro, les gens vont et viennent. Les wagons défilent en grand nombre. Leur grondement est assourdissant.

Christophe n'est pas à son aise:

— Sortons! Tu vois bien que Patapouf n'est pas ici.

Martine est inquiète. Elle commence à désespérer.
— On ferait mieux d'abandonner, dit-elle.
— Et s'il était dans la rue piétonne ?
— Demandons à ces gens installés à la terrasse du café...
— Pardon, Madame, n'avez-vous pas aperçu notre petit chien ?
— Il est grand comme ça. Il a de courtes pattes et de longues oreilles.
— Un roux ?
— Oui, Madame.
— Je crois que je l'ai aperçu près de la fontaine. Il était occupé à boire.
Mais ça fait un bout de temps.

15

Hélas! à la fontaine, point de Patapouf.
— Il faut renoncer à le poursuivre. Nous sommes trop loin de la maison!
— J'ai une ampoule au talon, dit Martine
— Asseyons-nous
Tout est calme. Des musiciens jouent de la guitare. Un artiste dessine à la craie sur le sol. L'eau clapote dans le bassin. Les Indiens ôtent leurs chaussures, ils sont épuisés.
— Comment allons-nous rentrer à la maison?

— Si nous téléphonons à papa, il viendra nous chercher.

— Tu sais bien que la voiture est en réparation.

— Prenons l'autobus. Il me reste un peu de monnaie.

— Moi aussi... Nous avons suffisamment d'argent pour retourner à la maison.

L'arrêt du bus est à deux cents mètres.

Justement, le n° 6 arrive. Nous avons de la chance.

Martine, Jean et Christophe
descendent à la Résidence.
Quel soulagement!
Papa était très inquiet.
— Que vous est-il arrivé? dit-il.
— Nous étions occupés à jouer
quand Patapouf s'est sauvé.
Nous l'avons poursuivi jusqu'en ville.
Et puis nous l'avons perdu.

— Nous le retrouverons, dit Papa, tu verras... Tu marches pieds nus,
maintenant?
— Je n'en pouvais plus, mes chaussures me font mal.

— Tu as perdu ton chien?
— Comment est-ce arrivé? Tu aurais dû le tenir en laisse.
— ...
— Ne pleure pas, Martine, dit un garçon à bicyclette. Avec mon vélo, je le rattraperai sûrement. Qu'est-ce que tu paries?
— Laisse-la donc tranquille. Tu vois bien qu'elle a du chagrin.

La nuit est tombée sur la ville, les enseignes lumineuses clignotent. Les néons scintillent aux fenêtres des buildings. Le long des avenues filent les voitures. Elles virent à droite, à gauche, s'entrecroisent.
Les feux rouge et vert font des clins d'œil.
Martine a bien de la peine. Elle songe à Patapouf égaré.

— Passera-t-il la nuit dehors?
— Quelqu'un lui donnera-t-il à manger?
Mais voilà qu'on sonne à la porte...

C'est l'agent du quartier en tenue de sport. Il tient
Patapouf dans ses bras !
— Je m'entraînais après mon service, du côté de
l'Esplanade. J'y ai croisé Patapouf. Il semblait tout perdu.
Je l'ai conduit chez nous où il a bu et mangé.
A l'avenir, mettez-lui un collier avec votre adresse.

— Oh merci, dit Martine, enfin rassurée.
Patapouf ne se sent plus de joie.
Martine lui fait la fête.

Imprimé en Belgique par Casterman, s.a., Tournai. Dépôt légal : octobre 1986 ; D. 1986/0053/176.
Déposé au Ministère de la Justice, Paris (loi nº 49.956 du 16 juillet 1949 sur les publications destinées à la jeunesse).